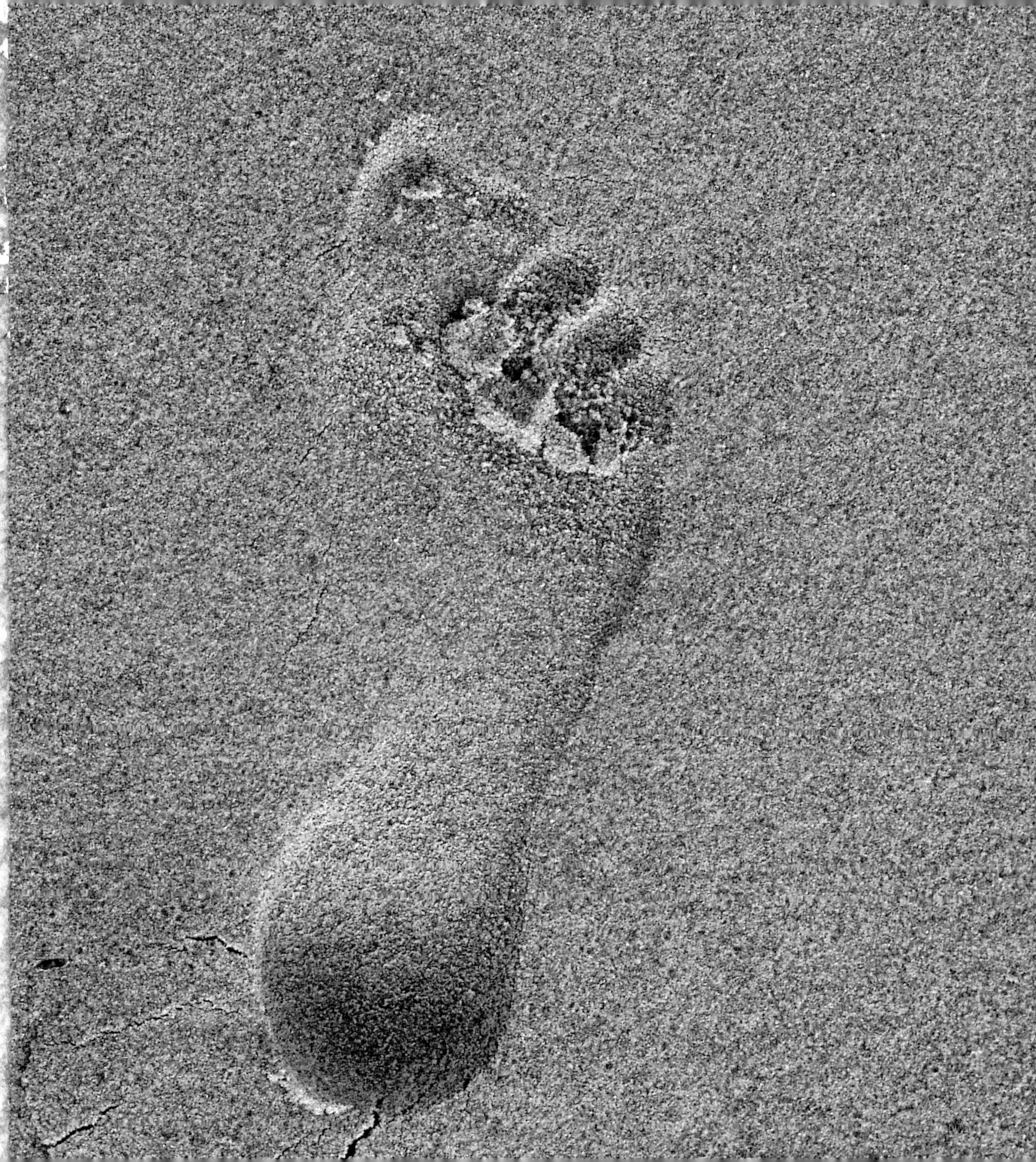

STAFFORD CLIFF

WIE WIR *am Meer* WOHNEN

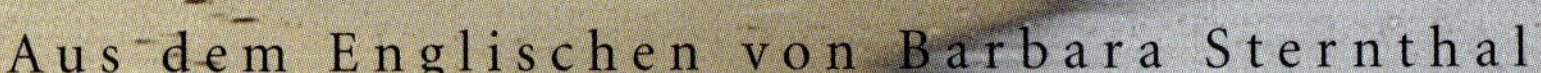

Aus dem Englischen von Barbara Sternthal

Mit 256 Photographien in Farbe von

GILLES DE CHABANEIX

CHRISTIAN BRANDSTÄTTER VERLAG

Wie wir *am Meer* wohnen

EINLEITUNG

Seite 1, Frontispiz und Titelseite
Fußabdrücke im Sand und Menschen, die am Meer spazieren gehen – das sind die Ikonen für das so einfache wie sinnliche Vergnügen, an der Küste zu leben.

Vorhergehende Doppelseite
Dieses unbeschwerte Bild eines Kindes auf einer Schaukel irgendwo auf Tahiti ist der kraftvolle Ausdruck für Entspannung, für ein Loslassen, wie es nur am Meer möglich ist.

Gegenüber
Farben – vor allem Blau-, Weiß- und Grünnuancen – erscheinen im Licht, das vom Meer reflektiert wird, intensiver. Diese Fischerboote in einem tunesischen Hafen, handgemacht und funktionell, nicht dekorativ, sind ein eindrucksvoller Anblick voller dramatischer Schattierungen und Strukturen.

Fußabdrücke im Sand – Wahrzeichen unserer Liebesaffäre mit dem Strand; Figuren, die sich in weiter Ferne am Ufer abzeichnen; ein Kind auf einer Schaukel vor den unglaublichen Blautönen des Meeres und des Himmels in den Tropen; kleine Boote, deren Farben im Licht der Küste leuchten, vertäut in einem quirligen Hafen; ein dekoratives Tagesbett unter einem Sonnensegel als Abbild von üppigem Luxus am Indischen Ozean; Azurtöne rund um ein pazifisches Atoll und ruhige Wasser um einen Tempel in einer Szene von großer Heiterkeit und äußerster Ruhe: All diese intensiven Bilder evozieren den Zauber des Lebens am Meer. Menschen werden nie aufhören, sich ans Meer zu wünschen, wo die schiere Kraft des Wassers mit Energie auflädt und der Wechsel der Gezeiten so ruhig macht. Und dann gibt es noch diese so einfachen wie verführerischen Dinge zu tun – früh am Morgen hinausgehen und barfuß den Strand entlangspazieren, eine ungewöhnliche Muschel aufheben, Kiesel, weich und glatt gespült vom Wasser oder eine Hand voll Treibholz, aber auch der Luxus eines Candlelight-Picknicks im Sonnenuntergang oder einer Hochzeit am Strand.

Ob es sich um ein kleines Küstendorf handelt, um eine Sommervilla hoch über dem Azur des Mittelmeers oder der Karibischen See oder um einen einsamen Küstenstreifen irgendwo am Atlantik: die Möglichkeiten, auf welche Art man am Meer wohnt, sind vielfältig, immer aber begleitet von Wohlgefühl und einer gewissen Frische im Leben. Jene von uns, die ein Leben am Wasser wählen, können sich zwischen den Gestaden der Meere, von Seen und Flüssen entscheiden und von den je unterschiedlichen Lebensstilen, die sie bedeuten. Viele der Häuser und Hotels, die wir in diesem Buch zeigen, sind ganz offensichtlich darauf ausgerichtet, ein Refugium, ein Ort für Fluchten aus dem Alltag zu sein. Einsam liegende Cottages, Villen mit Terrassen und Veranden, angelegt für den weiten Blick über den Ozean, Appartements in Küstenstädten, individuelle Hotelbungalows: Sie alle schaffen verführerische Alternativen zur Hektik des urbanen Alltags. Die Photographien des verstorbenen Gilles de Chabaneix, die in diesem Buch abgebildet sind, zeigen Leben und Aufenthalte am Meer rund um die Erde. Ihre Vielfalt ist beachtlich, aber alle sind sie verführerisch.

Was das Leben an der Küste so anziehend macht, ist zweifellos das besondere Licht, diese besondere Leuchtkraft, wie sie am Festland einfach nie zu sehen ist. Wir alle haben sie schon beobachtet, diese außergewöhnlichen Lichtstimmungen an der See, sogar an grauen, nebelverhangenen Tagen: das brennende Leuchten zu Mittag,

9MAI
6/2
NAHID

spektakuläre Sonnenuntergänge oder einen gleißenden Sonnenstrahl, der an einem dunklen, stürmischen Nachmittag einen Streifen Meer aufblitzen lässt. Es waren und sind diese Elemente, die unzählige Maler und Komponisten inspiriert haben und das nach wie vor tun.

Große nationale Unterschiede zeigen sich bei dem, was man die kollektive Erinnerung an das Leben an den Küsten nennen könnte. In Großbritannien beispielsweise ist sie verbunden mit der Tradition, jedes Jahr die Städte im Inland zu verlassen und ans Meer zu ziehen, was später durch Pauschalurlaube ersetzt wurde. Aber auch wenn sich Gewohnheiten ändern, blieben die Bilder der sommerlichen britischen Küsten mit ihren Sandburgen, den Eselsritten und dem Kasperltheater tief im nationalen Bewusstsein verankert – der Rest einer Erinnerung an jene Zeit, als Fabriken für eine oder zwei Wochen schlossen und die ganze Bevölkerung an die Küsten zog. Und auch als man begann, ins Ausland zu reisen, war das Meer der Ort jeder Sehnsucht: Blackpool und Morecambe wurden nun durch Mykonos und Mallorca ersetzt, oder sogar durch Sri Lanka oder Mauritius, die beide auf den Seiten dieses Buchs zu sehen sind.

In den USA hat der Begriff »Küste« viele verschiedene Bedeutungen, doch das unvergänglichste Bild ist wohl jenes des Lebensstils eines Gatsbys an der Ostküste, wo die Reichen und die Berühmten im Sommer leben. Altes Geld findet man rund um Newport und Rhode Island, während die *noveau riche* aus der Medien- und Werbewelt mit ihrem Geld in den Hamptons und auf Fire Island protzen. An der Westküste sind es Malibu und Venice, die für Los Angeles als Quintessenz des Lebens am Meer gelten, während die Bewohner von San Francisco Hausboote auf der anderen Seite der Brücke, in Sausalito, kauften. Und Florida ist mittlerweile das Synonym für Ruhestand.

In Europa, speziell in Frankreich, waren es Künstler, die aus manchen Gegenden am Meer lebenswerte Orte machten. Durch die Augen Boudins und Monets sehen wir die Küste der Normandie, Gauguin brachte Licht und Farbe in die Bretagne, und später ließen sich die Fauves rund um das hübsche kleine Collioure an der südwestlich gelegenen Côte Vermeille nieder.

Doch wenn man das Licht und die Farben am Meer liebt, dann ist das nicht nur die Frage eines ganz speziellen Ortes, sondern auch eine der Geisteshaltung. Die besonderen Qualitäten des Lebens an der Küste werden in viele Stadtwohnungen oder -häuser – weit entfernt von der See – durch Farben, Stoffe und Materialien, inspiriert von Küsten und Stränden, geholt: unzählige Nuancen aus Blau, Grün und Weiß, Sand, gebleichtes Holz, Rattan, Muscheln, abgeschliffener Stein, Kieseln, saubere und schlichte

Oberflächen, Holzverkleidungen, Bereiche, in denen sich das Licht reflektiert, Milchglas. Viele dieser Elemente können eine Erinnerung an die Faszination eines Lebens am Meer schaffen.

Der angemessene Gebrauch spezieller Materialien für Küstenarchitektur und -design ist ein immer wiederkehrendes Thema auf den Seiten dieses Buches, vor allem, was eine neue Generation von Hotels betrifft. Wo einst Häuser, Villen und hoch aufragende Komplexe errichtet wurden, die sich von der Bauart im Inland nicht wesentlich unterschieden, entstanden in den letzten zehn, fünfzehn Jahren weit umweltfreundlichere Resorts. So wurden etwa für Ferienanlagen in Kenia, Thailand, Bali oder Tahiti traditionelle Architekturstile adaptiert und überall vorhandene natürliche Materialien verwendet, um luxuriöse Herbergen zu schaffen – so vollkommen integriert in ihre Umgebung, dass sie kaum auffallen.

Dieser neue Stil eines Wohnens am Meer, sichtbar geworden durch eben dieses neue Hoteldesign als auch durch einen boomenden maritimen Immobilienmarkt, wird durch eine Denkweise bestimmt, die gleichermaßen ursprünglich wie auch ausgesprochen modern ist. Anstatt all der klimatisierten Bequemlichkeiten des Stadtlebens sind es die schlichten Dinge, die geschätzt werden: Möbel aus Treibholz, eine unter einem Baum installierte Dusche, die nachlässige Eleganz einer Hängematte, im Freien kochen und essen, am Strand schlafen. Eine Begleiterscheinung dieses Geschmacks ist die forcierte Revitalisierung von weit draußen liegenden Boots- und Fischerhütten sowie Leuchttürmen. Diese Art zu leben wird in diesem Buch an der Hütte eines Surfers an der mexikanischen Küste fest gemacht, die aussieht, als wäre sie an Land gespült worden.

Das also ist er, der Ausdruck dessen, was es bedeutet, am Meer zu wohnen – schlichte Materialien und Bequemlichkeiten ohne großen Aufwand, sparsames Dekor, unkomplizierte Tage der Muße und eine Lage, die die unermesslich große Kraft der Ozeane respektiert. Auch wenn Sie in einer Stadtwohnung, in einem Haus oder Loft weit weg vom Meer wohnen, beweisen die Photographien dieses Buches, dass es letzten Endes keine Frage des Reisens, von Sommerferien oder elendslangen Flügen ist. Die Qualität liegt in der Inspiration dieser neuen Geisteshaltung – der zentralen Thematik auf diesen Seiten –, in der Passion für Uferlinien, Strände, Küsten, das Wasser, die Häfen und die Architektur und Kultur, die zu all dem gehört. Mit anderen Worten: Ein Blick auf das Meer, wie immer er sich gestalten mag, ist die erfrischend einfache Lösung für einen unkomplizierten Lebensstil.

Vorhergehende Doppelseite
Ein einigermaßen überraschender Ausdruck für das Leben am Meer: ein Tagesbett, bedeckt mit Materialien, die man gewöhnlich für Interieurs verwendet und platziert am Strand unter einem semi-transparenten Baldachin, der jene Farben widerspiegelt, wie sie auch in der Landschaft und auf dem Wasser zu sehen sind.

Das Zwiegespräch des Ozeans mit dem festen Boden – Riffs, Erhebungen am Meeresgrund oder Inseln – erzeugen Farbeffekte von ungewöhnlicher Schönheit, besonders, wenn man das Ganze aus der Luft betrachtet. Hier ist es eine Sandbank beim Großen Barriereriff *(gegenüber* und *rechts)*, die von der ultimativen Einsamkeit erzählt – keine Deckchairs, keine Menschen, keine aufdringlichen Geräusche, nur das, wohin man flüchtet, wenn man wirklich genug hat.

Die Ozeane und Meere können verheerende Verwüstungen anrichten, doch wenn sie ruhig sind, ist ihre Wirkung von geradezu greifbarer Heiterkeit – die ideale Umgebung für einen Tempel.

Ein kleines Haus auf einem Kap vor der Kykladeninsel Serifos, das sich organisch in das Küstenterrain fügt.

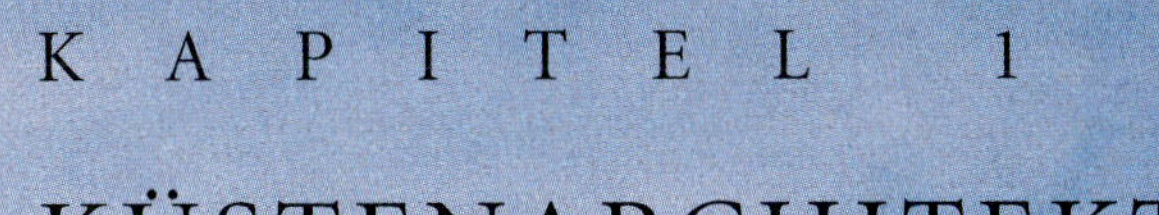

KAPITEL 1

KÜSTENARCHITEKTUR

Häuser, Kabanen, Neuschöpfungen

Immer schon war Wasser wesentlich bestimmend fürs Bauen, hat die Präsenz und den Eindruck, den ein Gebäude macht, intensiviert. Die Weite des Ozeans, gleichgültig in welchem Klima, scheint Großzügigkeit und Raffinesse der Konstruktion und ihrer Gestaltung zu inspirieren.

Die Wendung »am Meer« hat eine ganze Reihe von Konnotationen, wobei sehr oft Architektur eine Rolle spielt. Von Kabanen und Strandhütten in berühmten Resorts oder im tropischen Blätterwald irgendeiner Pazifikinsel versteckten Pavillons, von den neuen, »natürlichen« Hotels oder den Leuchttürmen und Bollwerken gegen die See, von mediterranen Dörfern hoch in den Klippen bis zu thailändischen Tempeln auf dem Wasser geht rund um die Welt von Stilen, Farben und Strukturen eine immense Faszination aus. Die Vielzahl küstennaher Bauten, die auf den folgenden Seiten präsentiert wird, bringt einmalige Beispiele. Ihnen allen gemeinsam ist, dass sie von der Freude, die das Leben am Meer überall bedeutet, erzählen. Und so unterschiedlich sie auch aussehen – einladend wirken sie alle.

Vorhergehende Doppelseite
Die markante rote Spitze einer weißen Kirche erhebt sich über der tropischen Vegetation auf diesem Küstenstreifen von Bora-Bora im Archipel von Tahiti – einmal mehr findet hier die Verbindung zwischen Spiritualität und Meer ihren Ausdruck.

Gleichviel, auf welchem Längengrad sie sich befinden, Orte am Meer – und ein nicht unerheblicher Anteil der Weltbevölkerung lebt an den Küsten der Ozeane – genießen ein Licht, das es in den Städten und Ortschaften im Landesinneren nicht gibt. Das Licht am Meer scheint intensiver zu leuchten, pulsierend, ja oft klarer zu sein. Sowohl diese entspannte Ansiedlung am Strand von Salvador di Bahia, Brasilien *(gegenüber)*, als auch die etwas strenger, ja alltäglicher wirkende norwegische Kleinstadt am Wasser sind so attraktiv wie einnehmend in ihrem Ambiente aus changierenden Blau-Grün-Tönen.

Sehr unterschiedliche Formen von Ansiedlungen werden von der jeweiligen Lage am Meer definiert. Die Insel Patmos *(oben)*, berühmt für ihr christliches Erbe und ihre majestätische Klosterburg, leuchtet in makellosem Weiß gegen das unglaubliche Blau der Ägäis. Aber auch Großstädte wie Kapstadt *(unten)* gewinnen neue, aufregende Dimensionen, wenn sie am Meer liegen und sich die maritime Geräusche und Aktivitäten mit jenen vermischen, die man von Städten gewöhnt ist.

Auch das Leben und die Entwicklung einer Stadt hängt naturgemäß mit ihrer Lage am Meer zusammen, gleichgültig, ob es sich um eine große Stadt wie Marseille (oben) handelt oder um eine überschaubarere wie Salinas (unten). Die Fischerei spielt fast immer eine große Rolle und, wie im Fall von Marseille, sind Schifffahrt und maritime Wirtschaft Antriebsmotoren für Wachstum und Expansion der Stadt. Doch gerade Marseille bietet durch die Lage am Mittelmeer einen einzigartig malerischen Anblick.

Das Meer, die Landschaft und die Architektur: die organische Kombination aus diesen drei Elementen schenkt manchen Orten am Meer ihre unvergleichliche Qualität. Eine der bemerkenswertesten Ansichten im Mittelmeer bietet die Kykladeninsel Santorini *(oben)*: Die blauen und weißen Häuser ihrer beiden Hauptorte liegen auf den Resten eines der gewaltigsten Vulkanausbrüche der Geschichte. Nicht so dramatisch anzusehen, in ihre Umgebung aber ebenso perfekt eingefügt sind die Häuser von Amalfi *(unten)*, die über den steilen Hang im Golf von Salerno nach oben zu klettern scheinen.
Ein schönes, stark an Italien erinnerndes Arrangement neoklassizistischer Häuser – Amalfi nicht unähnlich – ist auf Symi *(gegenüber)*, eine Insel, die zur Gruppe der Dodekanes in der Ägäis gehört, zu sehen.

Wie sehr die Präsenz des Ozeans Städte durch einen Hafen bereichert, ist in diesem kleinen schottischen Küstenort *(oben)* unübersehbar. Derselbe hinreißende Reiz, gegeben durch die Nähe des Meeres, verleiht auch dem australischen Stadt Sydney *(unten)* ihre besondere Güte: Hier wurden die Warenlager in den Docks in Cafés und Hotels verwandelt.

Zwei ähnliche flache Dörfer auf den Komoren *(oben)* und auf Sizilien *(unten)* gewinnen durch ihre Lage am Meer eine zusätzliche Dimension – sicherlich eine, die ihren Gegenstücken im Landesinneren verwehrt ist.

Zu jeder maritimen Ansiedlung, sofern sie nicht ausschließlich der Muße wegen gebaut wurde, gehört ein intakter Hafen. Auf der Île de Ré verbinden sich Vergnügen und Arbeit und schaffen so ein aktives Zentrum für die lokale Gemeinde. Traditionelle Häfen scheinen immer einen wohltuenden Einfluss auf die Qualität der Architektur zu haben.

Wie in vielen Teilen Nordeuropas machen auch diese Häuser rund um einen Fischerhafen in Schottland einen so stabilen wie schlichten, aber dennoch eleganten Eindruck.

Eher die Freuden des Lebens am Meer repräsentiert die Architektur dieser mehrstöckigen Villen in Istanbul *(oben)*.
Prosaischer zwar, aber ebenso beeindruckend ist dieses Marktgebäude am Kai in einem Küstenort in der Nähe von Edinburgh *(unten)*.

Es fragt sich, ob Küsten und Häfen eine besondere, universell gültige, aber unausgesprochene Qualität innewohnt, die Architekten veranlasst, eine robuste Architektur mit strengen graphischen Fassaden zu schaffen. Es wird so sein, denn diese beiden Beispiele liegen weit voneinander entfernt: Häuser in der Lagune von Venedig *(oben)* und eine Reihe von Läden in einem schottischen Hafen *(unten)*.

Hydra *(links)*, das zur argo-saronischen Inselgruppe in der Ägäis gehört, erfüllt nahezu alles, was man von einer menschlichen Ansiedlung am Meer erhoffen kann. Einst Drehort für den Sophia-Loren-Film *Der Knabe auf dem Delphin* liegt es heute nicht anders vor uns als vor hundert Jahren.
Anders als solch zivilisiert-kultivierte Architektur scheint sich dieses Haus eines Künstlers auf Korsika *(gegenüber)* – er kreiert Möbel aus Treibholz – fast aus dem Boden der Küste zu schälen.

Vorhergehende Doppelseite
Strandhütten – hier unter einem bedrohlichen Himmel in der Normandie – sind weit mehr der Ausdruck für das Badevergnügen am Meer als dafür, sich an seiner Küste niederzulassen. Die Erfindung aus dem viktorianischen Zeitalter erlaubte jenen Grad an Anstand bevor man baden ging, der damals unerlässlich war.

Was als Teil der neuen Mode, ein Bad in der See zu nehmen, begann, wurde im Lauf der Zeit zu einem begehrten Objekt des Strandlebens. Diese Strandhütten in Kapstadt *(oben* und *gegenüber)* sind mit allem ausgestattet, was man braucht, damit der Tag am Strand wie ein Tag zu Hause verlaufen kann. Übrigens gibt es an Großbritanniens Küsten insgesamt mehr als neuntausend Strandhütten.

Folgende Seite
Es ist eine ganz eigentümliche Faszination, die solch ein Haus am Rande der Welt ausübt – fast fühlt man sich an die Anfänge menschlicher Besiedelung erinnert. Dieses einfache Haus in der Nähe von Kapstadt wirkt verloren und verletzlich gegen die unermesslichen Wassermassen, die vor ihm liegen.

Seite 39
Dieses moderne Zitat traditionellen Baustils liegt vor dem Blau der Ägäis auf Mykonos.

Von ihren Besitzern wurden diese einsam liegenden Cottages bei Kapstadt *(gegenüber)* und auf Jersey *(oben)* ganz offensichtlich als möglichst einfache Unterkünfte konzipiert, die eine reizvolle Alternative zum Stadtleben bieten. Gemeinsam ist diesen Beispielen auch ihre robuste Konstruktion: Sie wirkt, als hätte der Erbauer nichts anderes bezweckt, als dass sie allem, was die Elemente hier auslösen könnten, widersteht.

Hineingeschmiegt in die Flora an der rauen Küste nahe Kapstadts wurde dieses einsame Haus im Laufe der Zeit sanft von der Salzluft gegerbt. Die ursprüngliche Qualität des metallenen Dachs und der Holzwände stehen in einem starken Kontrast zum kultivierten Inselrefugium auf der gegenüberliegenden Seite.

Über dem kristallklaren Wasser der Karibik beim schicken St. Barthélemy liegt diese private Ferienvilla. Das intensive, von der weichen Oberfläche des Meeres reflektierte Licht beleuchtet dieses sehr fashionable Haus, das um einen Pool samt Deck, Warmwasserbecken und Essplatz vervollständigt wird: ein Platz vollendeter Ruhe und Entspannung.

Es sind bestimmte Materialien und Formen, die sich für das Bauen am Meer besonders eignen. Die Schindelbauweise ermöglicht es, sich in einem Haus an der Küste richtig heimelig zu fühlen. Das oben abgebildete Haus ist ein berühmtes Beispiel dafür: Prospect Cottage war das Haus des verstorbenen Künstlers und Filmemachers Derek Jarman. Auch in seinem Garten finden sich viele Hinweise auf das Meer – Kieselsteine, Treibholz und Fundstücke, die er am Strand von Dungeness gesammelt hat.

Die Schindelhäuser an der tropischen Küste im nördlichen Queensland sind oft auf Stelzen errichtet, um eine gute Luftzirkulation unter dem Boden zu gewährleisten. In diesem Fall ist der Palisadenzaun ein perfekter visueller Begleiter.

Folgende Doppelseite
Eine lang gezogene, niedrige Bauweise, auch mit Veranda, fügt sich perfekt in das Mikroklima an der Küste – vor allem dann, wenn mit heftigem Wind zu rechnen ist.

Eine relativ einfache und niedrige Bauweise – wie dieses Beispiel in der Bretagne *(gegenüber)* – scheint den Erfordernissen, die sich aus der Küstennähe ergeben, besonders gut gewachsen zu sein.

Knappe zweiundvierzig Kilometer nördlich von Tahiti liegt das Tetiaroa-Atoll *(oben)*, einst das Privatrefugium Marlon Brandos. Das Haus mit der lebkuchenhausartigen Zierleiste entlang der Veranda liegt im Schatten der Palmen, die gleichzeitig als natürlicher Windschutz wirken.

Einen Schritt vom Haus am Strand weiter hinaus zum Meer und man befindet sich in einem Konstrukt, das tatsächlich in den Ozean reicht, ob das nun religiöse, persönliche oder strikt funktionelle Gründe hat. Stege und Plattformen (wovon die Piers nicht anderes als eine massivere Version sind) besitzen einen seltsam hypnotisierenden Effekt, der das Auge verführt, vorwegzunehmen, und die Füße, sich auf Entdeckungsreise zu begeben – entweder zu einem buddhistischen Schrein in Thailand *(gegenüber)*, einer Fischerhütte in Chile *(links oben)* oder einer Rettungsbootstation in Wales *(rechts oben)*.

Die kristallklare Lagune des Tetiaroa-Atolls – ein Teil der Gesellschaftsinseln in Französisch-Polynesien – ist umgeben von dreizehn weißsandigen Inselchen. Es ist der geradezu ideale Ort, das Wohnen ins Meer hinaus zu verlegen *(gegenüber)*.
In nicht allzu großer Entfernung liegt die kleine Insel Bora-Bora, wo man einige interessante und kultivierte Entwicklungen im Hoteldesign sehen kann: Suiten wurden als individuelle und dezentrale Einheiten draußen im Meer errichtet *(rechts oben* und *unten)*.

Die Privatsphäre auf einer Koralleninsel: Spuren menschlicher Besiedelung sind an den klaren Wassern von Tetiaroa *(gegenüber)* kaum zu finden.
Weit entschiedener wurde dem Ozean der Stempel der Zivilastion mit diesem Resort auf Bora-Bora *(rechts)* aufgedrückt. Diese schlichte, zeitlose und doch höchst durchdachte Konstruktion ist typisch für die Entwicklung der Hotelarchitektur in den warmen Klimazonen. Autochthone Materialien und traditionelle Baustile werden verwendet, um Hotelzimmer zu schaffen, die gleichermaßen lokale Fertigkeiten und Kulturen widerspiegeln und respektieren, die aber auch all den Luxus bieten, der von Urlaubern heute gefordert wird.

Folgende Doppelseite
Es liegt eine ganz spezielle Qualität darin, auf einer Insel zu wohnen, vor allem auf einer von solch minimalen Ausmaßen: Da sind sowohl die Gefühle von Isolation und großer Distanz zur Zivilisation, aber auch jene, zwar in Verbindung mit der Natur, aber auch ihrer Gnade ausgeliefert zu sein, woran die Geräusche des Ozeans permanent gemahnen. Inseln, so wie dieses Resort vor der Küste von Mauritius, geben einem auch das Empfinden, Abenteuer weit entfernt von den Massen zu bestehen – wohltuend in diesen Zeiten des Massentourismus. Und natürlich kann man immer auch von der verführerischen Möglichkeit träumen, sich seine eigene Insel als geheimes Refugium zu kaufen.

Vorhergehende Doppelseite
Umgeben vom Ozean, aber nicht weit entfernt von der Südküste Sri Lankas liegt diese kleine Privatinsel namens Taprobane, ein wunderbar verborgener Ort für ein exklusives Ferienresort. Hinter den Palmen entfaltet sich die Eleganz dieser Anlage *(siehe Seite 94)*.

Ein anderer Aspekt – manchmal vergessen, manchmal unterschätzt – des Zusammenspiels des Menschen mit dem Meer und seiner Küste ist weitaus funktioneller als die meisten der auf den vorangegangen Seiten gezeigten Beispiele. Er beinhaltet eine ganze Kategorie von Gebäuden, zu denen Leuchttürme, Aussichtstürme, Forts und Ausgucke gehören, die heute immer wieder in aufregende Ferienresidenzen verwandelt werden. Doch die Beispiele auf dieser Doppelseite erfüllen nach wie vor ihre genuinen Aufgaben: auf der Insel Jersey *(oben* und *unten)* und in Salinas in Mexiko *(gegenüber)*.

Dieser Leuchtturm auf der französischen Île de Ré ist ein merkwürdiger Nachbar der Häuser nebenan.

Die Präsenz des Meeres oder zumindest großer Wasserflächen verlangt fast zwingend einen Ausguck oder hoch gelegenen Balkon an den Häusern. Es ist die Antwort auf die Notwendigkeit, weit über die Küstenlinie hinausblicken zu können (*links* Chile, *rechts* Île de Ré).

Einen Sonnenschirm aufzupflanzen – hier in der Lagune von Venedig – bedeutet auch, die eigene Präsenz an der Küste zu etablieren.

K A P I T E L 2

ERWEITERUNGEN

Terrassen, Decks, Stege, Plattformen, Privatstrände

Die Faszination, die Küsten auf die Menschen ausüben, wird naturgemäß in ein Designvokabular übertragen, das es ermöglicht, das Gefühl noch zu verstärken, dem Meer nahe zu rücken. In diesem Kapitel werden Gärten, die sich zum Strand hin öffnen, gezeigt, und auch Stege, die zum Strand führen, sowie Terrassen, die wirken, als würden sie über der See schweben. Vom Großen Barriereriff bis zur französischen Riviera sind Terrassen, Decks und Aussichtspunkte die essentiellen Orte, um jenes Verlangen zu stillen, das da heißt: Zeit an den Gestaden des Ozeans zu verbringen. Der Wille zeitgenössischer Designer und Architekten, Formen und Materialen einzusetzen, die sich nahtlos in ihre Umgebung fügen, ist bei den gezeigten Beispielen nicht zu übersehen. Doch um einen Platz am Strand zu genießen, braucht es manchmal nicht mehr als eine Hängematte zwischen zwei Bäumen oder ein Palmdach und ein paar Stühle.

Die Initiation dessen, auf welche Weise man mit dem Meeresstrand in Berührung kommt, kann vielfältig und variabel geschehen, simpel oder auch komplex. Durch ein »Sonnenstrahl«-Gatter aus den 1930er Jahren, selbst schon ein Symbol für die Öffnung zu neuen Welten, gelangt man von einem Garten an der irischen Küste *(oben)* hinaus an den Rand des Wassers. Weit überlegter ist dieser Weg zur See mit seinen exotischen Pflanzen in einem Küstengarten im tunesischen Hammamet *(unten)*. In der Nähe von Kapstadt *(gegenüber)* dagegen genügt dieser Holzsteg, um zum Meer zu gelangen.

Die kompromisslos modernen Linien und Farbnuancen des Interieurs dieses Hauses an der Küste Devons wurden nach draußen und über den Strand erweitert. Eine kleine Terrasse und ein einzelner Stuhl geben ein einfaches Statement über die Faszination eines weiten Meerblicks ab.

Und noch einmal das schlichteste aller Arrangements auf einer Terrasse über dem Mittelmeer in Nizza: Das Meer belebt und beleuchtet sowohl das Innen wie auch das Draußen. Diese Terrasse schafft zusätzlich die Illusion, sich unmittelbar über dem Wasser zu befinden.

Die Kombination aus einfachen Materialien und Formen schenkt dieser Hotelterrasse in Queensland sowohl zurückhaltende Eleganz als auch einen wunderschönen Blick auf den Ozean. Die robusten Hartholzmöbel scheinen für diesen Platz besonders gut geeignet.

Alles an dieser Terrasse an der französischen Riviera wirkt perfekt: Sie liegt geschützt und bietet doch einen freien Blick auf drei Seiten, sie ist schlicht, und doch sind die vorherrschenden Materialen – Terracotta und Bambus – überlegt für ihren Platz an der Sonne und am Meer eingesetzt.

An der Nahtstelle zwischen öffentlich und privat bietet diese Terrasse einen ruhigen Platz zum Essen und Trinken, zum Nachdenken und Schauen übers Meer. Dieses Beispiel auf Madeira hat den offensichtlichen Vorteil, sich dem Wasser und dem Himmel komplett zu öffnen. Das Schachbrettmuster der Bodenfliesen und die Bambusmöbel vervollständigen diese idyllische Szenerie.

Nochmals Madeira: Diese Variation des Themas »Terrasse« schafft einen völlig anderen Effekt. Anstatt das Meer zur alles überstrahlenden Umgebung zu machen, erhält es durch den geschützten Charakter dieses Arrangements einen Rahmen und wird zur Kulisse eines Dinners, das man drinnen genießt.

Die beiden hier gezeigten Anlagen – auf Mauritius *(oben)* und auf Sri Lanka *(unten)* –, jeweils vervollständigt durch Kolonialmöbel, demonstrieren wunderschön das Vergnügen an einer zum Meer hin ausgerichteten Terrasse oder Veranda. In warmen Klimazonen sind solche Anbauten an das Haus substantielle zusätzliche Räume, die mit Leben und Licht vom Ozean beschenkt werden.

Die maritime Anspielung dieser Konstruktion direkt über dem Meer auf Madeira *(gegenüber)* ist ganz offensichtlich: Sie hat die Form eines Schiffsbugs, und der Boden macht den Eindruck, als bestünde er aus Kieseln.

Ein effektvoller Platz im Freien muss nicht notwendigerweise eine überlegt konstruierte Veranda, Terrasse oder Loggia sein. Manchmal reicht ein schlichter Streifen aus Holzplanken, eventuell komplettiert durch Sonnenschirme oder eine Markise, um so beeindruckend wie zwanglos einen Ort zu schaffen, an dem man die Sonne und das Meer genießen kann. Ein wesentlicher Aspekt dieses Decks auf der Île de Ré sind die Möbel aus einem Material, das mit der Umgebung korrespondiert.

In der entspannten Atmosphäre der kleinen Pazifikinsel Bora-Bora war es nicht einmal notwendig, Holzbretter für ein Deck auszulegen, geschweige denn, viel mehr aufzustellen, als dieses sehr schlichte Dach, um einen so herzerwärmend wie heiter anmutenden Bereich zu kreieren. Ein Tisch, ein paar Stühle und ein Dach aus lokalen Materialien – mehr war nicht nötig, um dieses Idyll am Strand zu schaffen.

Die beruhigend schlichte und doch elegante Form von Strandliegen – sie sind der essentielle Begleiter fauler Tage am Strand: auf Lizard Island, Queensland *(links)*, und auf Bora-Bora *(gegenüber)*.

Folgende Doppelseite
Die moderne Interpretation traditioneller balinesischer Architektur charakterisiert die Aman Resorts auf den Inseln Indonesiens. Eine anmutige Note verleiht dies auch der spektakulären Anlage des zur Aman-Resorts-Gruppe gehörenden Amankila (»friedlicher Hügel«) Resorts bei Manggio im östlichen Bali. Dahinter öffnen sich grandiose Blicke auf den Ozean und die Küste.

Dieses Resort auf Lizard Island im Großen Barriereriff *(oben und unten)* ist typisch für eine bestimmte Entwicklung moderner Strandhotels. Materialien und Farben vermitteln Sensibilität gegenüber der Umwelt, während sie dennoch viel Komfort in dieser rauen Umgebung gewährleisten.

Das Lizard Island Resort bietet, so wie viele zeitgemäße Hotels dieser Art, sowohl einen Platz in einem privaten Paradies als auch die Möglichkeit, spektakuläre weiße Strände ganz leicht erreichen zu können. Mitten im Großen Barriereriff platziert, offenbart sich von den sorgfältig eingerichteten Ruheplätzen ein weiter Blick über den Ozean.

Nicht nur jene Aktivitäten, die man gemeinhin mit einem Leben im Freien assoziiert, werden vom nahen Meer um eine Dimension erweitert. Auch die Aussicht auf eine Partie Poolbillard im Lizard Island Resort *(gegenüber)* scheint vor dem Hintergrund aus Strand und Booten auf dem Wasser verlockender.

Und wie groß das Vergnügen ist, am Strand zu essen, hat man in diesem Hotel auf Bora-Bora vollständig begriffen, indem man nicht nur einen Tisch und zwei Bänke hinaus gestellt, sondern durch ein Holzdeck einen zusätzlichen Blickfang geschaffen hat.

Es gibt nur wenig, das entspannender ist, als in einer Hängematte mit den Geräuschen des nahen Meeres in den Ohren zu dösen. Vielleicht hängt die Tatsache, dass Hängematten als perfektes Surplus des Strandlebens gelten, damit zusammen, dass man sie gemeinhin mit dem Leben auf einem Schiff assoziiert. *Oben* eine Hängematte auf Bora-Bora, *gegenüber* in einem Resort im nördlichen Queensland.

Folgende Doppelseite
In diesem Resort auf der Insel Kiwayu an der Ostküste Kenias machte man aus der Verwendung lokaler Materialien und Architektur eine Tugend, indem man »bandas« (Häuser) mit viel Privatsphäre errichtete. Jede Veranda mit Hängematten liegt vollkommen für sich und ist doch nur ein paar Meter vom Wasser entfernt.

Natürlich wirkende Materialien und Farben, aber auch der Verlauf von drinnen nach draußen machen dieses Haus in Zihuatenejo an der mexikanischen Pazifikküste zu einem Teil des umgebenden Strandes.

Auch für die weitläufige Terrasse mit Pool und Sonnenschutzdächern samt tragenden Säulen desselben Hauses in Zihuatenejo wurden natürliche Baumaterialien verwendet. Rohe Ziegelwände und Terracottafliesen unterstreichen den Eindruck, der den Betrachter vermuten lässt, das Haus sei ein organischer Teil der Pazifikküste.

All diese, rund um die Welt gesammelten Beispiele für Terrassen über dem Meer beziehen einen Teil ihres Charmes aus den verwendeten Möbeln, auch wenn diese sehr unterschiedliche Formen haben: Bambus für ein Haus auf Mauritius *(links)*, Hartholz auf Bali *(rechts)*, Leinen und Holz auf Bora-Bora *(gegenüber links)* und Rattan auf einer Veranda in Kenia *(gegenüber rechts)*.

Das substantielle architektonische Attribut eines größeren Hauses oder Hotels, die Veranda, schafft einen bemerkenswert flexiblen Raum für all die guten Dinge des Lebens – essen, trinken, Gespräche führen. Gleichzeitig entsteht durch die offene Bauweise – speziell wenn sie einen Blick auf das Meer bietet – ein visuelles Schauspiel aus Licht und Schatten. Dieses Beispiel von einem Hotelresort auf Sri Lanka *(siehe auch Seiten 58 und 59)* spielt grandios mit dem Effekt der Säulen, die sowohl Struktur geben als auch einfach dekorativ wirken.

Hoch auf einem Felsen in der Nähe von Monte Carlo liegt diese von einer Pergola beschattete Terrasse. Sie schenkt den Bewohnern des Hauses einen das ganze Jahr über nutzbaren Essbereich und großartige Blicke aufs Meer.

Diese dekorative Terrasse eines küstennahen Hauses auf Mauritius ist augenscheinlich ein integraler Teil des Gebäudes. Doch gleichzeitig fungiert sie – dank der nahen Pflanzen, die auch die Vögel anlocken – als ein Bereich des Übergangs, der das Leben am Ozean in das Haus hineinträgt.

Die Ebbe verändert das Antlitz der Küste vollständig und entblößt für einige Stunden die Formen und Farben der gestrandeten Fischerboote.

K A P I T E L 3

MARITIME FARBEN & MATERIALIEN

Weiß, Blau, Grün, Holz, Steine, Glas

Die Interieurs von Häusern am Meer, wo immer sie auch stehen, scheinen ein gemeinsames Designvokabular zu haben. Die Farben tendieren dazu, hell zu sein und das Licht zu reflektieren – auch wenn einige der hier präsentierten Beispiele eher ein dunkles Braun zeigen, das wohl eine Interpretation von Schiffskajüten ist. Blau und Weiß werden kombiniert und vermitteln von den griechischen Inseln bis Goa ein universelles »Küstenfeeling«. Auch bestimmte Materialen eignen sich besonders gut für ein Leben mit nautischen Obertönen, wozu beispielsweise die gestrichene Holzvertäfelung aus geraden Planken – hier mit einigen Häusern von der Île de Ré vertreten – gehört. Und selbst in Häusern und Wohnungen im Inland beschwören diese Materialien und Farben eine maritime Stimmung: Kästen in Schiffsform, Fenster wie Bullaugen oder lichtdurchlässige Jalousien. Einer der interessantesten Beiträge in diesem Kapitel ist jener über das Kiwayu Safari Village in Kenia, wo man natürliche Materialien verwendet hat, um individuelle Bungalows im traditionellen Stil zu errichten.

Vorhergehende Doppelseite
Ein Haus am Meer – oder, noch besser, eines auf einer Insel – ist eine wunderbare Möglichkeit, der zunehmenden Enge überfüllter Städte zu entfliehen, um sich nicht nur Raum zu schaffen, sondern auch diese ganz spezielle Leuchtkraft des Lichts am Ozean aufzusaugen. Die Besitzer dieses Hauses auf der Île de Ré an Frankreichs Westküste haben eine Art maritime Schlichtheit in diesen getäfelten Innenräumen geschaffen. Sie werden vom frischen Licht der Insel ausgeleuchtet und vermittelt einen zwanglosen Lebensstil.

Die weiße Täfelung mit den offenen Regalen gibt diesem Haus auf der Île de Ré *(links)* einen maritimen Anstrich.

Blickt man in die einzelnen Räume dieses Hauses auf der Île de Ré, scheint es durchaus möglich, von einem besonderen »Küstenstil« zu sprechen, der seinen Ausdruck in simplen Formen und Materialien und einer speziellen Farbpalette findet. Doch dieser Stil beschränkt sich nicht auf das Leben an den Küsten und auf den Inseln: Für dieses Appartement in London beispielsweise wurden ein karger Schiffsboden, helle Farben, Baumwollbezüge für die Möbel und lichtdurchlässige Sichtschutzjalousien aus Plexiglas verwendet, um einen ähnlichen Look zu erreichen. Fast scheint es, als ob »küstennah« weit weniger eine Frage des Orts als der Geisteshaltung ist.

Und nochmals die Wohnung in London: in der Küche wird reichlich von offenen Wandborden und weißen Kacheln Gebrauch gemacht, um dem Ganzen ein helles, luftiges Gefühl zu geben. Gepflegte Ablagen, transparente Vorratsgläser und die extrem schlichten Beleuchtungskörper spielen auf eine nautische Ausstattung an. Das Purpur mit dem Hauch Grau der Sternkugellauchblüten vervollständigt diese besondere Strandfarbenpalette. Insgesamt ist der bewusste Verzicht auf unnütze Muster und überflüssige Dekors offensichtlich.

Das Interieur dieses Hauses an der tunesischen Küste besitzt all die Frische und Luftigkeit, die wir mit Meeresnähe assoziieren. Das Weiß der gesamten Ausstattung verleiht dem rauen Baumstamm und der Holzschnitzarbeit an der Wand kräftige Konturen.

Spiegelnde Oberflächen und große weiße Bereiche dienen dazu, die typischen Lichteffekte einer Insel in die Küche dieses Hauses auf der Île de Ré zu holen.

Die schlichte Linienführung, die weißen Wände und Schränke geben dieser Küche – wiederum in einem Haus auf der Île de Ré – die Qualität von Ruhe. Der Plafond aus weiß lackierten Holzlatten erinnert an Strandhütten, während das große Fenster viel Licht in den Raum lässt. Solcherart wurde mit viel Weiß der mögliche abdunkelnde Effekt der relativ niedrigen Decke aufgehoben.

Ein Gemälde an der Wand, das einen Mann in einem Boot zeigt, verstärkt den nautischen Stil des Raums zusätzlich.

Dieses Badezimmer in einem Londoner Haus ist ein gutes Beispiel dafür, wie Materialien, Farben und Gestaltung jenes Gefühl von Frische und Offenheit verleihen, das man gemeinhin mit dem Leben an der Küste oder sogar auf See assoziiert. Ein Fenster lässt viel Licht herein, das vom polierten Holzboden reflektiert wird – man hat sofort das Gefühl, die Schuhe von den Füßen streifen zu müssen, um barfuß zu gehen. Die Holzverschalung rund um die Badewanne und die unteren Wandbereiche, der Klappsessel und die hölzerne Badematte lassen maritime Empfindungen entstehen.

In diesem modernen Haus an der Küste Devons gibt es eine ganze Reihe von Elementen, die – zusätzlich zum Standort des Gebäudes – ein Gefühl vom Leben an der Küste vermitteln. Die Möbel sind minimalistisch, die Bodenfliesen nackt und das Stiegengeländer sieht aus, als hätte man es eigentlich für ein Boot gemacht.

Obwohl sich dieses Haus im südwestfranzösischen Carpentras weit weg vom Meer befindet, trägt es einige der frischen und freien Charaktermerkmale, die man normalerweise von einem Haus an der Küste erwartet. Die Möbelstücke – in der Mehrzahl nach Entwürfen des Hausherrn aus preisgünstigen Materialien produziert – scheinen willkürlich zusammengestellt, passen aber wunderbar in diese Umgebung. Einige Stücke stammen aus Antiquitätenläden (wie die Architektenlampe aus den 1940er Jahren) oder wurden in Haushaltswarengeschäften gekauft. Den Tisch dominiert ein bootsähnlicher Kerzenleuchter, die Falt- und Stapelstühle können genauso gut außerhalb des Hauses verwendet werden.

Helle, dicht aufgetragene Farben und robuste, offene Möbel bestimmen den Ton dieses Schlafzimmers in einem Haus auf der Île de Ré. Elemente wie die rohen Bodenfliesen, der niedrige Tisch aus Holzlatten und der filigrane Metallstuhl vermitteln mehr als nur eine Anmutung vom Leben auf der Insel und in der Nähe des Meeres.

la peinture contemporaine
LA PEINTURE EUROPÉENNE SES ÉCOLES COMPLÉMENTAIRES
POUR UNE RENAISSANCE DE LA PEINTURE FRANÇAISE

Weiße, zwanglos über ein paar Möbelstücke drapierte Stoffbahnen und schräg verlegte Dielenbretter machen den maritimen Ton dieser Wohnung in Nizza aus.

Unbehandelte Bodenbretter und das durchgehende Weiß im Schlafzimmer eines Hauses auf der Île de Ré bringen etwas von der Nähe des Ozeans in das Interieur. Gläserne Paneele in der Tür und ein sorgfältig platzierter Spiegel machen den Raum hell.

Kaum verwunderlich, dass es gerade eine Farbpalette aus Grau und Blau ist, die mit dem Leben am Meer assoziiert wird – konventionellerweise betrachtet man gerade diese Farben als jene des Wassers selbst, wie man das vom Strand der Île de Ré *(rechts)* aus gut sehen kann.

Das verwaschene Blau einer Tür auf dieser französischen Insel *(links)* könnte fast für eine Reflexion der nahen See gehalten werden.

Die weiche und die raue Seite maritimen Stils: In diesem Stadthotel in Mexico City *(links)* hat man eine Ausstattung und eine »wässrige« Farbpalette gewählt, wie sie besonders für Schiffsausstattungen typisch ist.

Gebleichte, angespülte Holzstücke *(rechts)* dagegen repräsentieren einen anderen Aspekt des Lebens am Ozean. Gleichwohl können auch sie im Haus und im Garten sehr gut Verwendung finden – sei es als ornamentaler Schmuck oder als Teil von Möbeln oder anderen Stücken.

Eine Holzvertäfelung, blaugraue Farben und so schlichte Accessoires wie der Handtuchhalter an der Wand schenken diesem Haus an der irischen Küste das saubere, abgewaschene Gefühl weiter Meeresstrände.

Nautische Reverenzen und Memorabilia im Überfluss gibt es in diesem Haus auf der Île de Ré. Sogar die Farbe des Bodens in Verbindung mit jener der Wand scheint ein Abbild des Ozeans zu sein.

宝

Kühle graublaue und weiße Töne scheinen insgesamt die richtige Wahl für die Ausstattung dieses Schlafzimmers eines Hauses an der Küste Korsikas *(gegenüber)* zu sein. Ähnliche Farbtöne und zahlreiche nautische Dekorationsstücke (ein Flaschenschiff am Kaminsims und ein Sextant an der Wand) lenken in diesem Haus im Department Morbihan *(rechts)* die Aufmerksamkeit auf die seemännische Tradition: Morbihan gehört zur Bretagne, in der man Assoziationen mit dem Ozean kaum irgendwo entgehen kann.

Für das Badezimmer dieses modernen Hauses in Devon wurden die »Schiffs- und Meeresthemen« der anderen Räume wieder aufgenommen. Ultramarin mischt sich mit transparenten Elementen, während andere Details, vor allem die Beleuchtungskörper, einen ganz offensichtlich nautischen Charakter tragen.

Die Farbe Blau wird sehr oft mit einem Leben am Meer verbunden. So gesehen scheint es ausgesprochen passend, dass sie die dominierende Farbe in diesem Schlafzimmer eines Hauses auf der Île de Ré ist.

Folgende Doppelseite
Das Licht des Ozeans scheint Farben tatsächlich mehr Intensität zu verleihen, ob sie nun von Menschenhand oder aus der Natur selbst stammen: kontrastierende Blautöne an einer Fassade in Key West *(Seite 124)* und üppige Pflanzen in einem marokkanischen Garten *(Seite 125)*.

Die Verbindung aus Blau und Weiß beim Bauen und Dekorieren bringt Frische und strahlende Helligkeit, die an das Meer selbst erinnern, in die Formensprache jeder Küstengemeinde rund um die ganze Welt. Das Blau dieses Eingangstores im tunesischen Hammamet lässt die Lobby kühl erscheinen.

Die gesamte Farbpalette der Architektur auf der ägäischen Insel Santorini besteht ausschließlich aus den Farben Blau und Weiß.

Dieses aufregende Blau an einer Hausfassade in Goa wird im Nachmittagsschatten dunkler und intensiver. Fragile Palmenmotive in den Bogenfenstern evozieren die Vision eines tropischen Paradieses am Meer.

Das blau-weiß gestreifte Sofa – ein Design, das immer irgendwie an Segelboote oder Strand erinnert – ist das passende Accessoire für diese Ferienszenerie auf der Veranda einer Villa auf Mauritius.

Blau ist auf der Kykladeninsel Santorini allgegenwärtig – als Tür- und Fensterumrandung, als Farbe von Tischen und Stühlen. Vor dem Hintergrund blendend weißer, mit Pozzuolana getünchter Hausfassaden entsteht dadurch generell ein dramatischer Effekt.

Folgende Doppelseite
Die Blau-Weiß-Kombination wurde in dieser Wohnküche in Santiago, Chile, bis ins Extrem weitergeführt, indem man sogar den Boden in diese Gestaltung einbezogen hat. Klare offene Küchenschränke und ein Beleuchtungskörper mit nautischen Anklängen komplettieren dieses bewusst in Szene gesetzte Ensemble, mit dem der Besitzer den frischen, hellen Stil von Häusern am Meer erreichen wollte.

GALLINA

Die farbige Umrahmung aller möglichen Öffnungen in Häusern und Wohnungen – vor allem in Blau – ist ein dekorativer Manierismus, den man rund ums Mittelmeer sieht. Dieses ganz spezielle Beispiel befindet sich auf Ibiza *(gegenüber)*. Als innenarchitektonische Variante ist dieses Badezimmer in einem Haus auf der Île de Ré *(rechts)* exemplarisch.

So wie bestimmte Farben selbstverständlich eine Assoziation mit dem Wohnen am Meer herstellen, gibt es auch Formen und Materialien, die denselben Effekt haben. Helle Wandpaneele beispielsweise sind in Häusern an den Küsten oder auf Inseln immer wieder zu sehen: auf Tahiti *(links oben)*, aber auch in Moorea *(rechts oben)*, wo die Holzplanken aussehen, als wären sie vom Meer gebleicht. In einem irischen Haus *(gegenüber links)* dagegen finden sich zahlreiche Objekte, die an das Fischen erinnern. Und im Haus eines namhaften französischen Designers auf der Île de Ré *(gegenüber rechts)* ist dieses Stück aus dem Rückgrat eines Wals die ungewöhnliche, skulpturale Reverenz an den Ozean.

"GEOGRAPHIA"
Cyclists' Map
IRELAND
"GEOGRAPHIA" LTD
DAM
GUINNESS
IS GOOD
FOR YOU

Diese Veranda eines Hauses auf Tahiti verwandelt sich blitzschnell in ein veritables Zimmer, wenn man die maritim anmutenden Fensterläden schließt.

Eindrucksvoll ist diese Rauhputz-Konstruktion in einem Haus auf Korsika. Die Weidenkörbe, sehr ordentlich mit Kärtchen versehen, sehen ganz nach einer Reminiszenz an Gepäck aus, das für eine lange Seereise vorbereitet wurde.

Üppig sind die Reverenzen an das Leben auf See in diesem Haus im Morbihan in der Bretagne – verständlicherweise, denn die maritime Geschichte dieser Küstenregion ist lang und intensiv. Besonders auffallend sind die simulierten Bullaugen und die stromlinienförmigen, an einen Schiffsrumpf erinnernden Beleuchtungskörper.

Nochmals Bullaugen imitierende Fenster, in diesem Fall in einem Haus auf Bora-Bora, das auch sonst voll von maritimen Anspielungen ist. Eine Sammlung von Meerestrophäen – Reminiszenzen an Unterwasserwelten – wird auf den Rohputz-Regalen präsentiert. Die Tischplatte ist mit einem Kieselmuster umrandet, und die Bank rund um den Tisch erinnert an Bootseinrichtungen.

Schlichte Formen und Materialen verleihen diesen Räumen ihre unübersehbar maritime Anmutung, die durch unmissverständliche nautische Anklänge in den gewählten Dekors zusätzlich belebt wird: auf Tahiti *(links oben)*, an der Küste der Bretagne *(rechts oben* und *gegenüber links)* sowie auf Korsika *(gegenüber rechts)*.

NEWCASTLE

In Essaouira an der marokkanischen Atlantikküste gibt es zahlreiche schöne, traditionelle Häuser. Die Besitzer dieses besonderen Beispiels sind Anhänger eleganter Schlichtheit, ein Stil, der mit einer ausgesprochen wohnlichen Ambiance erreicht wurde. Natürliche Stoffe, bogenförmige Fenster, glatte weiße Wände *(oben)*, aber auch Holz und Rattan für Möbel und Bodenmatten *(gegenüber)* lassen eine offene und frische Stimmung entstehen, die freundlich vom Licht an der Küste beleuchtet wird.

Folgende Doppelseite
Farben und Ausstattung dieses Badezimmers auf der Île de Ré erinnern an jene auf Kreuzfahrtschiffen. Im selben Haus *(Seiten 146–147)* folgt auch das Schlafzimmer diesem Stil – ganz so, wie es in einem Haus auf einer Insel zu sein hat.

THE BUNGALOW
IN THE ARTS & CRAFTS STYLE

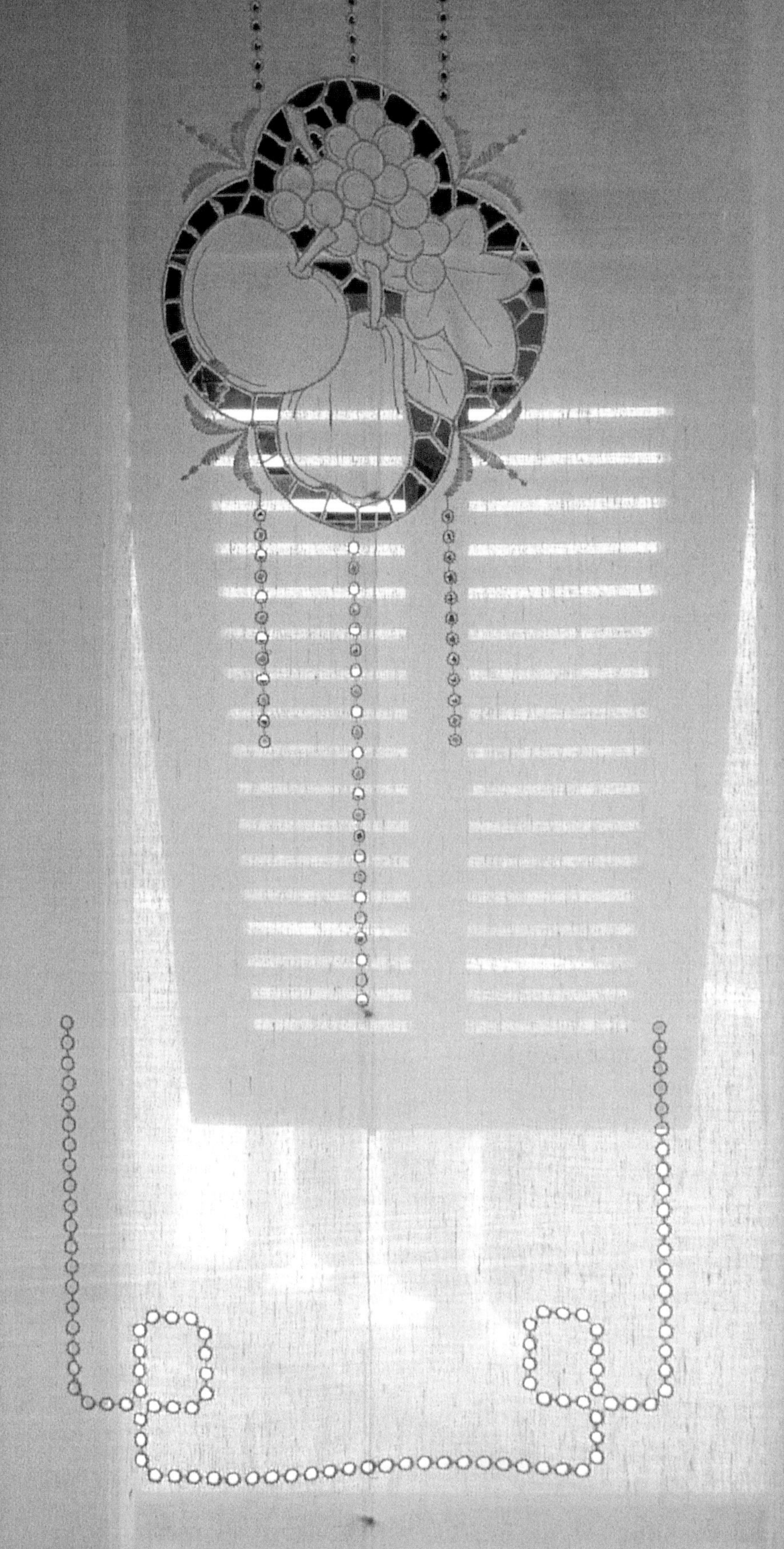

Vorhergehende Doppelseite
Dieser zeltartige Pavillon in einer Hotelanlage auf der indonesischen Insel Moyo ist ein ausgezeichnetes Beispiel für die neuen Trends bei luxuriösen Resorts am Meer: Hier werden lokale, natürliche Materialen verwendet, um Strukturen zu schaffen, die sich harmonisch in die Umgebung fügen. Leinen und Baumwolle, lose über die Möbel drapiert oder für Jalousien verwendet, kontrastieren das dunkle, dichte Braun der hier üblichen Harthölzer. Fenster auf beiden Seiten des Raums verleihen ihm etwas Bootsähnliches – ganz so als würde es sich um eine luxuriöse Kajüte auf einem traditionellen Dampfschiff handeln.

Die außergewöhnliche Intensität des Lichts am Meer, vor allem in warmen Klimazonen, verlangt meist danach, Innenräume abzuschatten – ein willkommener Kontrast zur blendenden Helligkeiten draußen: in einem Appartement in Monte Carlo *(gegenüber)* und auf Bora-Bora *(oben)*, wo ein Moskitonetz sowohl Eleganz ausstrahlt als auch sinnvolle Funktionalität.

Der erstklassige Luxus sehr einfacher Dinge wird in den separaten »Häusern« des Kiwayu Safari Villages auf der Insel Kiwayu vor der Küste Kenias wunderbar offensichtlich. Die Ausstattung entspricht ganz der rezenten Entwicklung von Hotelanlagen, die sich – vor allem im warmen Klima – durch ihre besondere Sensibilität gegenüber der Umwelt auszeichnet: Jede Einheit hat ein Dach aus Palmblättern und einen Boden aus Matten. Das Kingsize-Doppelbett wird durch das türkisfarbene Moskitonetz in einen veritablen Privatraum verwandelt.

Auf diesen Seiten möglicherweise die reinste Ausdrucksform für das Wohnen am Meer: Diese Surfer-Hütte *(oben* und *rechts)* in Todos Santos in Mexiko verkörpert die gesamte Zwanglosigkeit und durch Wind, Wasser und Wetter willkürlich entstandene Qualität eines Strandes an sich. Die ganze Konstruktion sieht aus, als wäre sie vom Meer an Land gespült worden. Von zwei Stühlen aus blickt man über den Ozean – wahrscheinlich so platziert, um auf die richtigen Wellen zu warten.

Im Schlafzimmer jener auf der vorhergehenden Doppelseite gezeigten Surfer-Hütte offenbart sich die ganze Attraktivität der zusammengewürfelt scheinenden Struktur, was sich auch auf die eklektische Zusammenstellung der Bettbezüge ausdehnt. Der ambitionierte Aufbau für ein Himmelbett wird hier als Rahmen für ein Moskitonetz adaptiert.

Die ganz andere Schlichtheit einer Unterkunft am Strand findet in diesem entspannt wirkenden Rahmen auf Mauritius ihren Ausdruck in dem bunten Perlenvorhang.

Der natürliche Look der Wohnräume des Safari Village auf der Insel Kiwayu wird von der Machart des Interieurs getragen, für das lokale Webarbeiten und Materialien unter dem Palmdach verwendet werden. Hinterlegt ist dem Ganzen ein Stück zeitgenössischer Stoffarbeit als Wandbehang.

Jede Wohneinheit innerhalb des Hotelkomplexes auf Kiwayu hat einen bestimmten Grad an Individualität. Sogar die Wandschränke, obwohl sie alle aus den lokalen Materialien gefertigt sind, unterscheiden sich voneinander: manche besitzen baldachinartige Dächer.

Im Übermaß verwendete lokale Bau- und Ausstattungsmaterialien und Stoffe charakterisieren diese schlichte Unterkunft an der mexikanischen Pazifikküste. Das überhängende Dach schenkt Schatten und Schutz vor der Hitze draußen, doch gleichzeitig lassen die Öffnungen viel Licht ins Innere. Ein beachtenswertes Detail ist der Ring aus Kieseln, eingelassen in den Boden rund um einen kleinen Beistelltisch – eine unübersehbare Assoziation mit dem Strand.

Jede so genannte »banda« des Kiwayu Safari Village unterscheidet sich von den anderen durch die je verschiedene Verwendung lokaler Stoffe. Gemeinsam ist allen Wohneinheiten das steile Palmdach, welches einerseits vor den Sonnenstrahlen schützt, andererseits aber viel Luft zirkulieren lässt.

Dieses vor einem durchbrochenen Wandschirm platzierte Tagesbett in einer »banda« im Kiwayu Safari Village ist mit einem zusammengewürfelten Mix aus Kissen und einem Überwurf bedeckt, die samt und sonders aus in der Region produzierten Stoffen hergestellt wurden. Das einer Skulptur gleich aufgestellte Stück Treibholz erinnert daran, dass sich das Hotelresort am Ufer des Ozeans befindet.

Bajuni-Textilien, wie sie in der Gegend hergestellt und üblicherweise für Kleidung verwendet werden, setzen im Safari Village auf Kuwayu intensive Farbakzente *(oben, gegenüber* und *folgende Doppelseite)*. Leuchtender noch erscheinen sie durch das Licht, reflektiert vom weißen Sandstrand und vom klaren Wassers, das in die Räume scheint. Und überall gibt es durch Arrangements aus Muscheln oder Kieselsteinen ornamentale Anspielungen auf das Leben am Meer.

HUVUNJA MOYO

Ein ähnliches Resultat durchdachter Hotelplanung wie im Kiwayu Safari Village – namentlich das Schaffen separater Wohneinheiten, die mit lokalen Materialien und Artefakten ausgestattet sind – wurde auch in diesem Hotelresort auf Tahiti *(oben* und *gegenüber)* erreicht. Einmal mehr wurden mit indigenen Baumethoden, in diesem Fall aus Bambus und Palmblättern, lichte und luftige Umgebungen geschaffen.

Diese Szenerie vor der Küste Japans vermittelt etwas von der Unermesslichkeit und von der Freigebigkeit des Ozeans.

KAPITEL 4

AN LAND GESPÜLT

Strandgut, Muscheln, Felsen, Kiesel, Meeresfrüchte

Es ist das Meer selbst, das ein großes Spektrum jener faszinierenden Formen und Schöpfungen offerierte, mit denen die Interieurs des nun folgenden Kapitels verschönert wurden. Ein einfallsreicher Künstler beispielsweise kreiert phantasievolle Möbelskulpturen aus Treibholz, das er an den Stränden Korsikas sammelt. Muscheln und Korallen werden lange schon ihrer dekorativen Qualitäten wegen geschätzt, auch wenn man vor allem Letztere heute nur unter Rücksichtnahme auf das empfindliche Gleichgewicht der maritimen Umwelt kaufen sollte. Bestimmte Formen, darunter Kiesel, inspirieren Oberflächendesigns sowohl für Innenräume als auch für draußen – außergewöhnlich in diesem Zusammenhang sind die von Gio Ponti gestalteten Zimmer für das Hotel Parco dei Principi in Sorrent. Und schließlich gibt es noch die Meeresfrüchte: gastronomische Delikatessen und prächtige Anblicke auf den Fischmärkten an den Kais.

Treibholz, zusammengesammelt an den Stränden Korsikas, ist jenes Rohmaterial, das ein Inselbewohner verwendet, um eine außergewöhnliche Serie von Möbelskulpturen *(vorhergehende Doppelseite* und *links)* zu kreieren. Diese Stücke sind so phantasievoll und drücken so viel von der Kraft der Natur aus, dass man meinen könnte, das Meer selbst hätte sie zusammengefügt.

Die phantastischen Formen der aus Treibholz hergestellten Tische und Stühle sind nicht nur das Ergebnis der Vision des Künstlers, sie tragen ihre Formen und auch ihre Konstruktionen bereits in sich.

Die Metamorphose an Land gespülter Objekte: Menschen, die am Meer wohnen, haben direkt vor ihrer Tür ein »Großkaufhaus« für natürliche Materialien wie Treibholz, Muscheln und Kieselsteine. Ob sie nun zum Bauen, als Dekoration oder pures Ornament verwendet werden – in jedem Fall sind Beschaffenheit, Farben und Formen so unterschiedlich wie inspirierend. Die rohen, vertikalen Linien einer Kabane auf Bora-Bora *(oben)* und das weichere, horizontale Patchworkmuster der Wände eines Hauses in Moorea *(unten)* sind geniale Beispiele dafür, wie man mit Fundstücken bauen kann. Eine seltsam sakrale Aura erhält dieser Stuhl aus Treibholz *(gegenüber)* des korsischen Künstlers aufgrund seiner Platzierung bei einer kleinen Felskapelle.

Die ganz spezielle Beschaffenheit und auch die Farben von Treibholz aus dem Meer machen das Interieur dieses Hauses auf einer Insel *(links* und *rechts)* doppelt dekorativ. Die geschliffenen Deckenpaneele stehen in starkem Kontrast zu den rohen Wänden. Ein dekorativ platziertes Paddel stellt eine weitere Assoziation mit dem Ozean her.

Treibholz und Walknochen wurden im Kiwayu Safari Village *(links)* zu einem ausgesprochen originellen Tisch kombiniert. Die außerordentliche Form dieses Stücks Treibholz wurde zur improvisierten Skulptur *(rechts)* in einem Haus an der irischen Küste.

Folgende Doppelseite
Aus Korallen- und Muschelfragmenten formiert sich dieses Kuriositätenkabinett in einem Haus auf Bora-Bora. Der notwendige Schutz maritimer Flora und Fauna macht es heute nahezu unmöglich, eine derartige Sammlung zusammenzustellen.

Muscheln und Seesterne werden auf dieser Kommode eines Hauses auf der Île de Ré *(links)* mit Keramikarbeiten und kleinen Gemälden kombiniert. Sämtliche Wohneinheiten in jenem schon mehrfach gezeigten Resort auf Kiwayu *(rechts)* sind mit Arrangements geschmückt, die immer einen Hinweis darauf geben, wo sich der Komplex befindet: am Ozean.

Ein weiteres Beispiel für die geniale Kunst zu dekorieren auf Kiwayu *(links)*: Kleine Muscheln werden im Bruchstück einer Meerestrompete präsentiert. Muscheln sind auch ein wesentlicher Bestandteil dieses Miniatur-Kuriositätenkabinetts in Key West *(rechts)*.

In einem faszinierenden, aus lokalen Materialien erbauten Haus auf der Insel Sumbawa, östlich von Bali und Lombok, hat ein Künstler, der üblicherweise mit Holz arbeitet, so grandiose wie seltsame Möbel geschaffen. Dafür hat er sich die lokalen Fertigkeiten, Holz zu bearbeiten, zueigen gemacht. Als ornamentalen Blickfang hat er eine ganze Reihe von Arrangements kreiert, darunter dieses *(links)*: Es besteht aus verschiedenen Muscheln und, besonders interessant, aus dem vom Meer gebleichten und gewaschenen Rückenknochen einer Schildkröte.

Die dekorativen Arrangements mit Dingen, die das Meer freigibt, werden auf Kiwayu *(gegenüber)* auch rund um Kerzenleuchter am Strand ausgelegt.

Eine ganze Kollektion von im neunzehnten Jahrhundert entstandenen Möbeln und Dekorationsgegenständen aus Muscheln *(links* und *gegenüber)* schafft in einem Haus auf der Insel Jersey eine überraschende Ambiance. Ein solches Plündern des Meeres und des Strandes würde heute als absolut inakzeptabel angesehen.

Diese Wände und Treppen in einem Garten auf Madeira *(gegenüber)* sind ein besonders gutes Beispiel für die vielseitigen graphischen Gestaltungsmöglichkeiten mit Muscheln.

Ein berühmtes Haus in Mexico City *(rechts)* – es ist jenes der Malerin Frida Kahlo – hat eine mit Meerestrompeten, die in den Verputz eingelassen wurden, dekorierte Fassade.

Die hier gezeigten Beispiele für die dekorative Verwendung von Kieselsteinen stammen sowohl von Häusern an der Küste als auch von Gärten und Häusern aus dem Inland *(diese und folgende Doppelseite)*. Doch gleichgültig, wo sich diese Arbeiten befinden: Immer erinnern sie an die Schönheit des Meeres und seiner Küsten.

Die einfallsreiche graphische Verwendung von Kieselsteinen, die nach Farben und Formen ausgewählt wurden, können sowohl als Bodenbelag als auch an Wänden und Decken aufregende Effekte erzeugen. Auf der Kykladeninsel Santorini haben derartige Arrangements den Status von Volkskunst *(links, rechts* und *gegenüber links).*

Im Gegensatz zu den dicht gelegten, mosaikartigen Arbeiten der Griechen steht diese minimalistisch-künstlerische Figur aus Kieseln auf den Bahamas *(gegenüber rechts).*

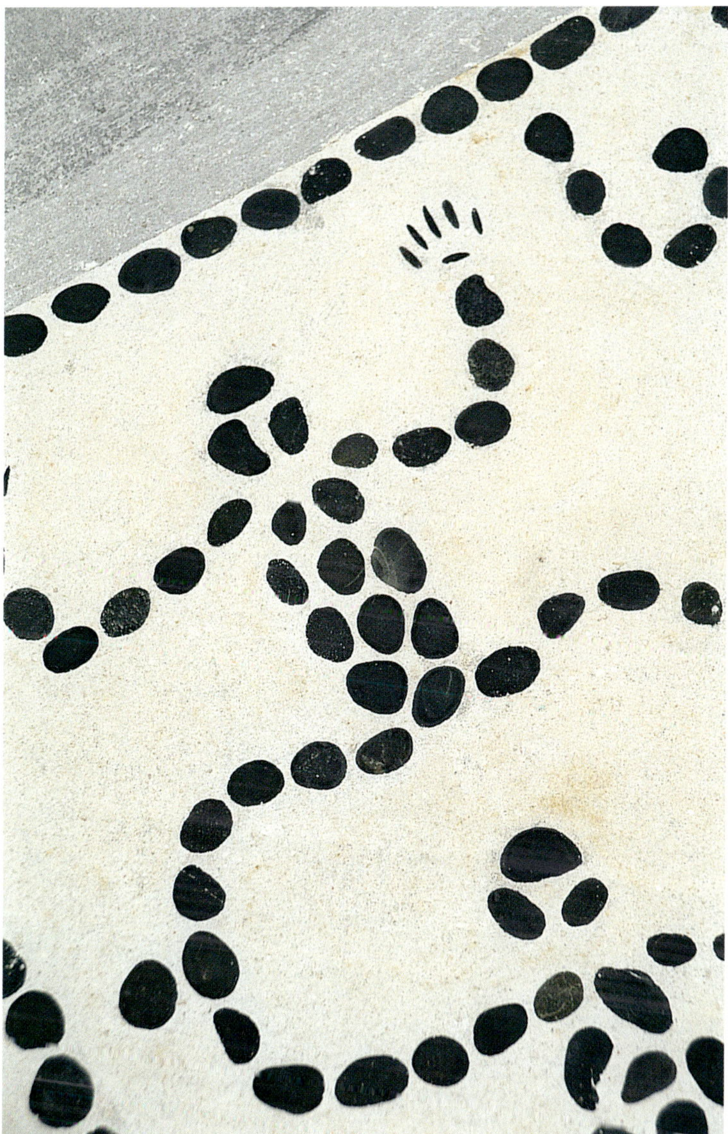

Folgende Doppelseite
Auch in Gio Pontis Hotel Parco dei Principi in Sorrent wurde das Kieselthema auf besonders einfallsreiche Art aufgenommen. Viele Wände im Inneren des Gebäudes sind mit keramischen »Kieseln« überzogen. Sie sind blau und weiß glasiert, reflektieren die Farben des Mittelmeers und schaffen insgesamt einen Grotten-Effekt.

Die Küste im Haus: Die Besitzer dieser Häuser auf der Île de Ré *(gegenüber* und *links)* haben am Strand gefundene Kiesel als faszinierende, lineare Muster in die Böden eingelassen.

Die kühle, raue Beschaffenheit von Kieseln oder Steinplatten im Haus bringen vor allem in den warmen Klimazonen eine willkommene, kühlende Abwechslung für die Füße. Besonders passend scheint dies für Badezimmer: auf der Île de Ré *(links)* und auf Tahiti *(rechts)*.

In diesem Haus auf Mallorca *(gegenüber)* korrespondiert der vollständig mit Kieseln ausgelegte Küchenboden mit der robusten, fast wehrhaften Strenge der originalen Baustruktur.

Die dekorativen Qualitäten dieser gemusterten Keramikfliesen behaupten sich hervorragend im Licht des südlichen Mittelmeers: in Tunesien *(links)* und in Tanger *(gegenüber)*. Das scheinbar ganz willkürliche Arrangement der Kacheln in Häusern an der Küste schafft irgendwie den Eindruck, nicht von Menschenhand gemacht, sondern eine Ernte aus dem Meer zu sein.

Die reichen Gaben des Meeres, vor allem jene mit dekorativem Potential, reichen weit über Muscheln und Kiesel hinaus. Halb verrottete Boote und Fischernetze schaffen auf den Komoren *(links* und *rechts)* großformatige Stillleben. Die Netzbojen an der irischen Küste in der Nähe von Dublin *(gegenüber links)* würden bestimmt jedes Haus schmücken, und ein nicht mehr gebrauchter Anker wird in Kapstadt *(gegenüber rechts)* zur riesigen Skulptur im öffentlichen Raum.

Vorhergehende Doppelseite
Der Fang des Tages: In den Fischgründen rund um Kiwayu vor der Küste Kenias wimmelt es geradezu von zahlreichen Fischarten: Thunfisch, Schwertfisch, Fächerfisch, Wahoo und Kingfisch.

Frischer Fisch! Hölzerne Kisten mit dem Tagesfang säumen den Kai der ägäischen Insel Santorini.

Fischsymbolik: Diese Schnitzarbeit vor einem netzartigen Hintergrund findet sich an der Fassade eines Restaurants im alten Hafen von Marseille. Es ist eine graphische Reverenz an die lange Verbindung, die die Stadt mit dem Meer hat.

Es sind die Märkte, die den menschlichen Wunsch nach Nahrungsmitteln, die so frisch wie nur irgend möglich sind, befriedigen – jenseits von Supermärkten und Zuchtbetrieben. Und nirgendwo hat das mehr Gültigkeit als bei Fisch und Meeresfrüchten: Fischmärkte auf Mauritius *(oben)* und in Marseille *(gegenüber)*. Besonders die an den Kais ausgelegte Ware besticht und inspiriert durch das Leuchten der Farbschattierungen und Muster, und sie sind delikate visuelle Präliminiarien auf das Kochen und Verspeisen: Rosa-, Rot- und Silbernuancen, die in den Sonnenstrahlen eines frühen Morgens an der Küste glitzern.

CERAMIQUE D'ART

Von der Religion bis zum Handel, von der Dekoration bis zu Kunst – überall ist Fisch ein allgegenwärtiges Motiv. Diese Kacheln machen klar erkennbar, um welche Art von Geschäft es sich hier handelt: ein Fischladen in Tunesien *(gegenüber)*. Stilisierte Fische verschönern ein Mosaik in Guatemala City *(oben)* und dienen in Form einer Treibholz-Schnitzerei als Schmuck einer Wohneinheit im Kiwayu Safari Village *(unten)*.

AN LAND GESPÜLT

Die Dekoration dieses Pariser Interieurs will offensichtlich das Meer ins Zentrum der Stadt bringen. Abgesehen von den Fischen scheinen die Stühle von einer Terrasse an der Küste geliehen. Das Zentrum aber ist die zu einem Kopf geformte Muschelskulptur, die aussieht als hätte sie ein Nachfolger Arcimboldos geschaffen.

Und zu guter Letzt gibt es natürlich für uns alle den Königsweg, den Geschmack des Meeres das ganze Jahr über kosten zu können – mit köstlichen Speisen aus Meeresfrüchten. Delikat im Aroma und oft faszinierend anzusehen gehören Fische und Meeresfrüchte zu den höchsten Freuden gastronomischer Genüsse.

Die ruhige See vor der Küste Queenslands – eine verführerische Einladung, auf dem Meer zu wohnen.

K A P I T E L 5

LEBEN AUF SEE

Wohnen auf & mit Booten

Der Eigner des traditionellen, »Bragozzo« genannten Flachbodenbootes *Eolo* lebt davon, mit diesem Boot Touren durch die Lagune Venedigs anzubieten. Wie sie so schmuck vor einem liegt, könnte die *Eolo* innen und außen als Metapher für alles dienen, was am Leben auf See gut und schön ist. Andere Bilder wassergeborener Eleganz sind jene der traditionellen Boote auf dem Nil, im Indischen Ozean und auf Bali. Ihre Formen, und die unzähliger anderer Boote, werden in Modelle und Hauszeichen übersetzt – eine ganze Palette davon wird auf den folgenden Seiten präsentiert.

Doch wahrscheinlich ist der ultimative Ausdruck des Wohnens am Meer jener, wenn die See tatsächlich zur einzigen Ambiance des Lebens wird: bei schwimmenden Häusern und Hausbooten.

Warum nur beim Meer sein und nicht auf dem Wasser? Die *Eolo* ist ein traditionelles Boot, schippert in Venedigs Lagune zwischen den Inseln umher und bringt Besucher zu Konventen, alten Wehranlagen, Fischerdörfern und Klöstern.

Die *Eolo* ist so etwas wie der Prototyp für all die erfreulichen Aspekte des Lebens auf dem Wasser. Während sie auf dem Wasser dahinsegelt, können die Gäste die Aussicht genießen und dieses herrliche Licht, das nur entsteht, wenn Himmel und Wasser ihre glückliche Verbindung eingehen. Wenn die *Eolo* angetäut an der Mole liegt *(links* und *gegenüber)*, kann man auf ihr sogar die Welt venezianischer Gastronomie entdecken.

FERRARI

Bootsstil: Das getäfelte Interieur der *Eolo*, die Arbeitsflächen, die ordentlichen Wandschränke und Abstellflächen, die Sitzbank, die Bullaugen und Beleuchtungskörper – alles bietet eine außergewöhnliche Inspiration für die Gestaltung von Innenräumen. Und natürlich ist man in Häusern, die in diesem Buch gezeigt wurden, all dem bereits begegnet *(Seiten 138–139)*.

Dank der kompakten Arbeitsflächen und der glänzenden Einrichtung der Kombüse kann man auch während des Segelns kochen.

Im Hafen der ägäischen Insel Hydra hat sich in den letzten hundert Jahren wahrscheinlich kaum etwas verändert, ausgenommen die Tatsache, dass die Anzahl der Vergnügungsboote im Hafen jene der Fischerboote heute bei weitem übersteigt.

Die Anmut traditioneller Boote: Die besondere Form ägyptischer Feluken auf dem Nil im Sonnenuntergang *(oben)* kreiert ein höchst graphisches Bild. Vor der Küste Kenias sind es die schlanken Dhaus *(unten)*, auf welchen die Fischer im Archipel von Lamu ausfahren.

Die Anmut dieser Boote – im Meer rund um Bali und an einem der unvergleichlichen Strände *(oben* und *unten)* – entsteht durch ihre ausgesprochen praktikable und klare Bauweise. Sie sind das Werk lokaler Handwerker, die ausschließlich mit den hier wachsenden Hölzern arbeiten.

HASSAM

Das Boot als Metapher für Frische und Freiheit gilt universell: Ein vom Wind geblähtes Segel, ein Bug, der durch die Wellen pflügt rufen unverzüglich Bilder von einem freieren, gesünderen Leben hervor. Die Modellboote *(vorhergehende Doppelseite)* schaffen einen lebendigen Anblick in einer tunesischen Küstenstadt; von Frische erzählt auch das Wandgemälde in Marseille *(oben)*, und die Zeichnung dieses Fischerbootes ist das Emblem eines Fischmarktes in San Francisco *(unten)*.

Dieses Modell eines traditionellen Fischerbootes in einem Rahmen aus Treibholz *(oben)* wurde an einem Strand auf Korsika gefunden. Ein anderes, berührend einfaches, Bootsmodell *(unten)* hängt von der Decke eines Cafés in Key West.

Im Zeichen des Bootes: in Edinburgh *(links)*, in Barcelona *(rechts)*, eine Wetterfahne in Kopenhagen *(gegenüber links)* und auf der Île de Ré *(gegenüber rechts)*.

LE VIKING
BL 7144

Die Faszination, die Modellboote auf viele Menschen ausüben, wird in diesen Interieurs sichtbar – sie wirken doppelt signifikant, weil sie sich alle in Häusern nahe am Meer befinden: in der südlichen Provence *(links)* und auf der Île de Ré *(rechts, gegenüber links* und *rechts)*.

INDOCHINE
NOUVELLE CALEDONIE
RAINBOW

J. WELY
NORMANDIE

Alles in den Räumen dieser Häuser auf der Île de Ré *(gegenüber, oben* und *unten)* erzählt vom Leben am Meer: Holzpaneele, Modellboote und -schiffe und das Bild einer Schwimmstunde im neunzehnten Jahrhundert.

Wie ein Attribut zum Modellsegler als ein Abbild maritimen Lebens durchzieht den ganzen Raum dieses Hauses auf der Île de Ré Frische und Schlichtheit. Sie entstehen aus der Anordnung der Möbel und der Wahl der Materialien, vom Plafond aus Holzpaneelen bis zu den Jalousien aus lichter Baumwolle. Im Hintergrund sieht man jenes Badezimmer, das auf den *Seiten 144–145* bereits präsentiert wurde.

Dass der Besitzer dieses Hauses in Santiago alles Maritime liebt, ist unverkennbar: Sogar im Schlafzimmer stehen zwei besonders elegante Bootsmodelle.

Die schöne Kollektion von Drucken aus dem neunzehnten Jahrhundert und die beiden Fische aus Keramik schaffen ein wahrhaft nautisches Bild im Schlafzimmer eines Hauses auf der Île de Ré.

Diesem schlichten Bugholzstuhl wurde ein ungewöhnliches Element in Form eines einfachen Modellbootes hinzugefügt. Der Stuhl steht in einem Haus in Neapel, eine der ganz großen Hafenstädte am Mittelmeer.

Auf dem klaren blauen Wasser vor einer Insel im Archipel von Tahiti liegt der möglicherweise ultimative Ausdruck dessen, was es heißt am Meer zu wohnen: ein traditionelles schwimmendes Haus.

So schlicht wie elegant kann es sein, direkt am Meer zu wohnen: Diese Hausboote *(oben* und *gegenüber)* säumen Teile des Hafens von Sausalito, dem schicken Vorort von San Francisco.

Folgende Doppelseite
Geschichten von der Leichtigkeit des Lebens am Meer: Mehr als einladend wirkt dieses elegante Hotel auf Bali, wo man ausgiebig über die Großartigkeit und die unendliche Weite des Ozeans meditieren kann.

Kursiv gesetzte Ziffern verweisen auf Abbildungen.

A

B

C

D

E

F

T

U

V

W

Z

DANKSAGUNG

Die Deutsche Bibliothek - CIP-Einheitsaufnahme
Ein Titelsatz für diese Publikation ist bei Der Deutschen Bibliothek erhältlich.

1. Auflage

Graphisches Konzept & Schutzumschlag:
Stafford Cliff
Lektorat der deutschsprachigen Ausgabe:
Irene Bisanz
Druck & Bindung:
CS Graphics, Singapore

ISBN 10: 3-902510-81-1
ISBN 13: 978-3-902510-81-5

Christian Brandstätter Verlag
GmbH & Co KG
A-1080 Wien, Wickenburggasse 26
Telefon (+43-1) 512 15 43-0
Fax (+43-1) 512 15 43-231
E-Mail: info@cbv.at
www.cbv.at

Die Photographien dieses Buches sind das Ergebnis jahrelangen Reisens rund um die Welt, um die Aufträge verschiedener Kunden und Magazine zu erfüllen. Herzlichen Dank deshalb an all die Menschen, die dazu beitrugen, dieses Projekt zu verwirklichen: Martine Albertin, Béatrice Amagat, Catherine Ardouin, Françoise Ayxandri, Marion Bayle, Jean-Pascal Billaud, Anna Bini, Marie-Claire Blanckaert, Barbara Bourgois, Marie-France Boyer, Marianne Chedid, Alexandra D'Arnoux, Catherine de Chabaneix, Jean Demachy, Emmanuel de Toma, Geneviève Dortignac, Jérôme Dumoulin, Marie-Claude Dumoulin, Lydia Fiasoli, Jean-Noel Forestier, Marie Kalt, Françoise Labro, Anne Lefèvre, Hélène Lafforgue, Catherine Laroche, Nathalie Leffol, Blandine Leroy, Marianne Lohse, Chris O'Byrne, Christine Puech, José Postic, Nello Renault, Daniel Rozensztroch, Elisabeth Selse, Suzanne Slesin, Caroline Tiné, Francine Vormèse, Claude Vuillermet, Suzanne Walker, Rosaria Zucconi und Martin Bouazis.

Vielen Dank auch all jenen, die uns das Photographieren in ihren Häusern und Wohnungen erlaubten: Jean-Marie Amat, Mea Argentieri, Avril, Claire Basler, Bébèche, Luisa Becaria, Dominique Bernard, Dorothée Boissier, Carole Bracq, Susie und Mark Buell, Michel Camus, Laurence Clark, Anita Coppet und Jean-Jacques Driewir, David Cornell, Bertile Cornet, Jane Cumberbatch, Geneviève Cuvelier, Ricardo Dalasi, Anne und Pierre Damour, Catherine Dénoual, Dominique und Pierre Bénard Dépalle, Phillip Dixon, Ann Dong, Patrice Doppelt, Philippe Duboy, Christian Duc, Jan Duclos Maïm, Bernard Dufour, Explora Group, Flemish Primitives, Michèle Fouks, Pierre Fuger, Massimiliano Fuksas, Teresa Fung und Teresa Roviras, Henriette Gaillard, Jean und Isabelle Garçon, John MacGlenaghan, Fiora Gondolfi, Annick Goutal und Alain Meunier, Murielle Grateau, Michel und Christine Guérard, Yves und Michèle Halard, Hotel Le Sénéchal, Hotel Samod Haveli, Anthony Hudson, Ann Huybens, Patrick T'Hoft, Igor und Lili, Michèle Iodice, Paul Jacquette, Hellson, Jolie Kelter und Michael Malcé, Amr Khalil, Dominique Kieffer, Kiwayu Safari Village, Lawrence und William Kriegel, Philippe Labro, Karl Lagerfeld, François Lafanour, Nad Laroche, Rudolph Thomas Leimbacher, Philippe Lévèque und Claude Terrijn, Marion Lesage, Lizard Island Hotel, Luna, Catherine Margaretis, Marongiu, Mathias, Valérie Mazerat und Bernard Ghèzy, Jean-Louis Mennesson, Ilaria Miani, Anna Moï, Leonardo Mondadori, Jacqueline Morabito, Christine Moussière, Paola Navone, Christine Nicaise, Christian Neirynck, Jean Oddes, Catherine Painvin, John Pawson, Christiane Perrochon, Phong Pfeufer, Françoise Pialoux les Terrasses, Alberto Pinto, Stéphane Plassier, Morgan Puett, Bob Ramirez, Riad Dar Amane, Riad Dar Kawa, Yagura Rié, Guillaume Saalburg, Holly Salomon, Jérôme-Abel Séguin, Jocelyne und Jean-Louis Sibuet, Siegrid und her cousins, Valérie Solvi, Tapropane Villa, Patis und Tito Tesoro, Richard Texier, Jérôme Tisné, Doug Tomkins, Anna und Patrice Touron, Christian Tortu, Armand Ventilo, Véronique Vial, Barbara de Vries, Thomas Wegner, Quentin Wilbaux, Catherine Willis.

Zu Dank verpflichtet sind wir auch jenen Magazinen, die uns erlaubten, Photographien, die ursprüglich bei ihnen erschienen, für dieses Buch zu verwenden: *Architectural Digest* (französische Ausgabe), *Atmosphère, Côté Sud, Elle, Elle à Table, Elle Décoration, Elle Décor Italie, Madame Figaro, Maison Française, Marie Claire, Marie Claire Idées, Marie Claire Maison, The World of Interiors.*